EMG3-0261
合唱楽譜<合唱 J-POP>
J-POP
CHORUS PIECE

合唱で歌いたい！J-POP コーラスピース

混声3部合唱

チェリー

作詞・作曲：草野正宗　合唱編曲：浅野由莉

●●● 演奏のポイント ●●●

♪シャッフルのリズムをうまくとらえて軽やかに歌いましょう。
♪各パートに下のA音が出てきます。出しにくいようなら、小音符（D音）を歌ってください。
♪コーダは、疲れてフレーズの最後が短くなったり息切れしないよう、ブレスをよく考えて歌いましょう。また、Ⓖは一番盛り上がる箇所です。焦らず、最後まで各パート息を合わせて歌いましょう。
♪ピアノは左手が大事です。ベースラインをしっかり聴かせるつもりで弾きましょう。

＊この楽譜は、旧商品『チェリー〔混声３部合唱〕』（品番：EMG3-0071、EME-C3027）とアレンジ内容に変更はありません。

合唱で歌いたい！J-POPコーラス

チェリー

作詞・作曲：草野正宗　合唱編曲：浅野由莉

Elevato Music
EMG3-0261

Elevato Music
EMG3-0261

Elevato Music
EMG3-0261

32
E
mf
Uh
mf
Uh
ぬ れ た ほ ー ほ
mf
どんな にあるいてーも たどり つけな いー こころ のゆき でーぬ れ た ほ ー ほ
E
B♭
Dm

36
あくま のふりしーて きりさ いたうた をー はるの かぜに まーう は な び ー ら ー
Uh
は な び ら
あくま のふりしーて きりさ いたうた をー はるの かぜに まーう は な び ら
B♭
Dm

40
に か ー え て Uh
に か ー え て か え て Uh
は な び ら にー か ー え て か え てー Uh
C
B♭

43
F
D.S.
F C Dm7 B♭ F C Dm B♭
mf
D.S.
Coda
più f
G
だきしーめてズルし てもま じめーにーも いきて ゆける
だきしーめてズルし てもま じめーにも いきて ゆける
しめてズルし てもま じめーにも いきて ゆける
B♭ Gm/C F Dm Am B♭ F F/E Dm Am/C
51
きがーしたよ いつか またこ のばーしょーで きみと めぐり あいーたい
きがーしたよ いつか またこ のばーしょで きみと めぐり あいーたい
きがーしたよ いつか またこ のばーしょで きみと めぐり あいーたい
B♭ F Dm Am/C B♭ F F/E Dm Am/C B♭ Gm/C F

チェリー

作詞：草野正宗

君を忘れない　曲がりくねった道を行く
産まれたての太陽と　夢を渡る黄色い砂
二度と戻れない　くすぐり合って転げた日
きっと　想像した以上に　騒がしい未来が僕を待ってる

「愛してる」の響きだけで　強くなれる気がしたよ
ささやかな喜びを　つぶれるほど抱きしめて

こぼれそうな思い　汚れた手で書き上げた
あの手紙はすぐにでも　捨てて欲しいと言ったのに
少しだけ眠い　冷たい水でこじあけて
今　せかされるように　飛ばされるように　通り過ぎてく

「愛してる」の響きだけで　強くなれる気がしたよ
いつかまた　この場所で　君とめぐり会いたい

どんなに歩いても　たどりつけない　心の雪でぬれた頬
悪魔のふりして　切り裂いた歌を　春の風に舞う花びらに変えて

君を忘れない　曲がりくねった道を行く
きっと　想像した以上に　騒がしい未来が僕を待ってる

「愛してる」の響きだけで　強くなれる気がしたよ
ささやかな喜びを　つぶれるほど抱きしめて
ズルしても真面目にも生きてゆける気がしたよ
いつかまた　この場所で　君とめぐり会いたい

ご注文について

楽譜のご注文はウィンズスコア、エレヴァートミュージックのWEBサイト、または全国の楽器店ならびに書店にて。

●ウィンズスコアWEBサイト

吹奏楽譜/アンサンブル楽譜/ソロ楽譜

winds-score.com

左側のQRコードより
WEBサイトへアクセスし
ご注文ください。

ご注文方法に関しての
詳細はこちら▶

●エレヴァートミュージックWEBサイト

ウィンズスコアが展開する合唱・器楽系楽譜の専門レーベル

elevato-music.com

左側のQRコードより
WEBサイトへアクセスし
ご注文ください。

ご注文方法に関しての
詳細はこちら▶

TEL:0120-713-771 FAX:03-6809-0594
(ウィンズスコア、エレヴァートミュージック共通)

※造本には十分注意しておりますが、万一、落丁・乱丁などの不良品がありましたら
お取り替えいたします。また、ご意見・ご感想もホームページより受け付けておりますので、
お気軽にお問い合わせください。